D1090580

José Maréchal

petites cuillères

Photographies de Charlotte Lascève
Stylisme Delphine de Montalier

MARABOUT

Les Apéritifs

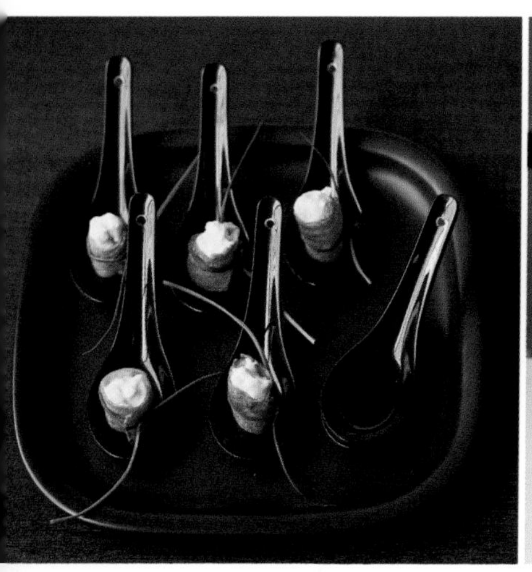

Fromage frais au cœur de basilic 6

Râpé de légumes aigre-doux 8

Mousse de foie au pain d'épices 10

Poulet caramélisé et boulgour au vinaigre balsamique 12

Roulés de bacon au gorgonzola 14

Poissons marinés à la tahitienne 16

Nouilles chinoises aux poissons crus 18

Escabèche de moules aux épices douces 20

Rougaille de tomates à l'orange et aux anchois frais 22

Rillettes de sardines à la coriandre 24

Joues de lotte au confit d'agrumes 26

Mini-boudins blancs aux pommes et au lard 28

Cannelons de courgettes à la crème au crabe 30

Chili con carne 32

Kits salés pour gourmands pressés 34

Les Desserts à la cuillère

Cuillères for my darling 36

Café très gourmand 38

Bonbons tout chocolat 40

Cuillère choco-menthe 42

Ganache choco-framboises 44

Crème de mascarpone et marrons craquants 46

Poire Belle-Hélène 48

Meringue italienne citron-framboise 50

Guimauves craquantes au caramel 52

Cottage cheese aux griottes amarena 54

Blanc-manger à la crème de pistaches 56

Crème à l'orange et pépites de chocolat 58

Roses des sables 60

Kits sucrés pour gourmands pressés 62

Les indispensables

Fromages frais

Salés ou sucrés, ils sont une base incontournable pour improviser sur le thème des cuillères. Le mascarpone, riche et crémeux à souhait, et la ricotta sont très tendance ; la brousse, la plupart du temps au lait de brebis, ainsi que le fromage de chèvre frais sont, avec les petits-suisses, Carré Frais et autres St-Môret, très faciles à travailler pour obtenir différentes consistances aux goûts variés. Allongés avec de la crème fraîche ou émulsionnés avec un ou deux blancs d'œufs battus en neige (façon tiramisu), on y incorpore ensuite épices, herbes fraîches, huiles ou encore confitures et compotes…

Tartares

Lieu de supplice dans les enfers grecs… Rapport ou pas, c'est de chair crue qu'il s'agit ! Soigneusement découpé en petits dés au couteau ou grossièrement haché au hachoir à viande, le tartare se décline à volonté. Si certains se cantonnent au très classique (mais néanmoins délicieux) tartare de bœuf, osez les associations plus audacieuses : saumon + gingembre + jus de pamplemousse, thon rouge + noix de coco + citron vert, canard + poivre rose + vinaigre balsamique ou volaille + curry + jus d'orange…

Rillettes de poisson et taramas

Préparer les rillettes de poisson est un jeu d'enfant ! Maquereau, thon, saumon et sardine, frais, en petites boîtes pour les paresseux ou en restes de la veille, une seule recette : 2/3 de poisson émietté + 1/3 de beurre mou et fromage blanc (pour alléger !). On peut ensuite se laisser aller à tous les mariages d'épices et d'aromates ; maquereau et sardine s'accordent avec toutes sortes d'herbes fraîches, graines et baies tandis que le saumon se prête à des associations plus audacieuses : le curry, le cumin et même pourquoi pas… La vanille ! Le tarama aux œufs de cabillaud est bien connu pour son étonnante couleur rose, mais il existe aussi aux œufs de saumon et de mulet, pour varier les goûts et les couleurs.

Les indispensables

Caviars

Non, pas celui de chez Petrossian...
Il s'agit des petites purées de légumes bien souvent venus du Sud (aubergines, courgettes, tomates fraîches ou séchées...), grillés et longuement mijotés dans de l'huile d'olive en quantité peu raisonnable... Ces caviars-là sont les compotes du maraîcher, ou, mieux encore, de votre potager !

Compotes, chutneys et confitures

Les compotes et les confitures, tout le monde connaît ! Et tous les fruits s'y prêtent (ou presque). Une seule règle à respecter : celle des saisons. Confiture de fraises au printemps et compote pomme-rhubarbe à l'automne !
Le chutney s'autorise des mélanges plus osés... C'est un condiment de légumes (oignons, aubergines, tomates...) ou de fruits (mangue, ananas, coco...) toujours épicé, sucré et acidulé...
En purée ou en morceaux, un seul mot d'ordre ; aigre-doux et c'est tout !

Tapenade

Un caviar d'olives me direz-vous ?
Pas tout à fait... Là encore, cette petite recette nous vient de Provence (on ne renie pas si facilement ses origines !). Mais cet écrasé d'olives vertes ou noires auquel on ajoute un peu d'anchois et de câpres ne nécessite pas de cuisson... Vite fait bien fait, les tapenades donnent du goût aux fromages frais et, en touche finale, de la couleur à vos cuillères...

Fromage frais au cœur de basilic

1 crottin de chèvre frais
80 g de fromage frais (type Carré Frais Gervais)
2 c. à soupe d'huile d'olive
1 pincée de sel
1 pincée de poivre
2 bottes de basilic
10 cl d'huile d'olive
2 gousses d'ail
gressins

Effeuiller et laver le basilic, éplucher et ôter le germe des gousses d'ail. Mixer le tout avec 10 cl d'huile d'olive, comme pour un pistou. Répartir la préparation dans un bac à glaçons et placer au congélateur 3 heures au minimum. Attention, les glaçons ne doivent pas être trop gros.

Pour préparer la crème de fromage frais, émietter le crottin dans un saladier, incorporer les Carrés Frais et 1 cuillère à soupe d'huile d'olive. Saler et poivrer. Écraser d'abord à la fourchette puis plus énergiquement à l'aide d'un petit fouet.

Placer un glaçon au basilic dans chaque cuillère et bien recouvrir de crème de fromage. Réserver les cuillères au réfrigérateur.

Dans un bol, concasser grossièrement les gressins.

Au moment de servir, parsemer la cuillère de miettes de gressins.

Pour 6 à 8 cuillères
15 minutes de préparation • 3 heures de congélation
30 minutes + 10 minutes de réfrigération

Râpé de légumes aigre-doux

- 1 CAROTTE
- 1 COURGETTE
- 1/2 CÉLERI-RAVE
- 1/2 POIVRON ROUGE
- 1/2 CITRON
- 1 C. À SOUPE DE MIEL
- 2 C. À SOUPE DE VINAIGRE DE CIDRE
- 1 ÉCHALOTE FINEMENT CISELÉE
- 2 PINCÉES DE CURRY
- 2 PINCÉES DE CUMIN
- 2 PINCÉES DE MÉLANGE QUATRE-ÉPICES
- SEL
- POIVRE

Éplucher la carotte et le céleri. À l'aide d'une mandoline ou d'une râpe à légumes, tailler les légumes en filaments. Pour la courgette, ne prélever que la peau.

Dans un saladier, mélanger les légumes avec le jus de citron. Saler et réserver au frais.

Dans une casserole, placer l'échalote, le vinaigre, le miel et les épices et mettre sur feu vif jusqu'à ébullition. Verser immédiatement sur les légumes, bien mélanger et laisser mariner 2 à 3 heures au réfrigérateur. La marinade va cuire légèrement « à froid » les légumes et les attendrir.

À l'aide d'une fourchette, enrouler les légumes comme des spaghettis et les disposer en petits « nids » dans les cuillères.

POUR 6 À 8 CUILLÈRES
15 MINUTES DE PRÉPARATION • 4 MINUTES DE CUISSON
2 À 3 HEURES DE RÉFRIGÉRATION

Mousse de foie au pain d'épices

125 G DE FOIE DE VOLAILLE
2 C. À SOUPE DE PORTO
10 CL DE CRÈME LIQUIDE
1 ŒUF
4 TRANCHES DE PAIN D'ÉPICES
1 GRAPPE DE RAISINS NOIRS
POIVRE DU MOULIN
SEL

Couper les foies de volaille en gros dés, les mettre dans le bol du mixeur avec la crème liquide, l'œuf, le porto. Saler, poivrer puis mixer le tout.

Remplir des petits ramequins aux 3/4, et faire cuire au bain-marie au four th. 5/6 pendant 20 à 30 minutes selon la taille des ramequins. Retirer du four et laisser refroidir.

Profiter du four chaud pour faire sécher les tranches de pain d'épices sur une plaque à pâtisserie, comme pour faire des biscottes. Mixer les tranches de pain d'épices au robot pour obtenir une chapelure.

Démouler les ramequins dans un petit saladier et, à l'aide d'un fouet, mélanger énergiquement afin d'obtenir une mousse légère. Rectifier l'assaisonnement si besoin est.

À l'aide d'une petite spatule, remplir les cuillères avec la mousse de foie, recouvrir de chapelure de pain d'épices et garnir d'un grain de raisin.

Vous pouvez également « cacher » le grain de raisin dans la cuillère avant de le recouvrir de mousse de foie.

POUR 6 À 8 CUILLÈRES
15 MINUTES DE PRÉPARATION • 20 À 30 MINUTES DE CUISSON

Poulet caramélisé et boulgour au vinaigre balsamique

6 SOT-L'Y-LAISSE DE POULET CUITS
50 G DE BOULGOUR
30 G DE SUCRE SEMOULE
1/2 ÉCHALOTE
1/2 OIGNON
5 G DE GINGEMBRE RÂPÉ
3 C. À SOUPE D'HUILE D'OLIVE
2 C. À SOUPE DE VINAIGRE BALSAMIQUE
SEL
POIVRE

Dans une casserole, faire revenir l'oignon ciselé à feu moyen, dans 1 c. à soupe d'huile d'olive, à feu moyen. Remuer, ajouter le boulgour, remuer à nouveau 1 minute puis ajouter 10 cl d'eau. Saler et poivrer puis couvrir et faire cuire à feu doux jusqu'à évaporation du liquide. Une fois le boulgour cuit, ajouter le vinaigre balsamique, bien mélanger et laisser refroidir.

Pour caraméliser les sot-l'y-laisse, mettre une petite poêle sur feu moyen, ajouter le sucre et 2 c. à soupe d'huile d'olive, laisser caraméliser légèrement puis ajouter l'échalote ciselée et le gingembre râpé.
Faire revenir les sot-l'y-laisse sur chaque face 1 à 2 minutes.

Garnir les cuillères de boulgour et, au moment de servir, réchauffer légèrement les sot-l'y-laisse avant de les disposer sur chacune d'elle.

POUR 6 CUILLÈRES
10 MINUTES DE PRÉPARATION • 8 MINUTES DE CUISSON
15 MINUTES DE RÉFRIGÉRATION

Roulés de bacon au gorgonzola

4 TRANCHES DE BACON

125 G DE GORGONZOLA

5 CL DE CRÈME LIQUIDE

POIVRE

QUELQUES FEUILLES D'HERBES FRAÎCHES (PERSIL, CIBOULETTE OU CORIANDRE...)

Dans une poêle antiadhésive et sans matière grasse, faire légèrement griller à feu moyen (1 minute à peine) les tranches de bacon sur une seule face afin de conserver leur moelleux. Les découper au couteau ou avec des ciseaux en lanières d'environ 2 cm de largeur.

Pour réaliser la crème de gorgonzola, mélanger à la fourchette dans un saladier le fromage et la crème, puis poivrer.

Disposer sur les lanières de bacon à plat une petite cuillerée de crème de fromage. Rouler les lanières avant de les disposer dans les cuillères et décorer d'un brin ou d'une feuille d'herbe fraîche.

POUR 6 À 8 CUILLÈRES
10 MINUTES DE PRÉPARATION

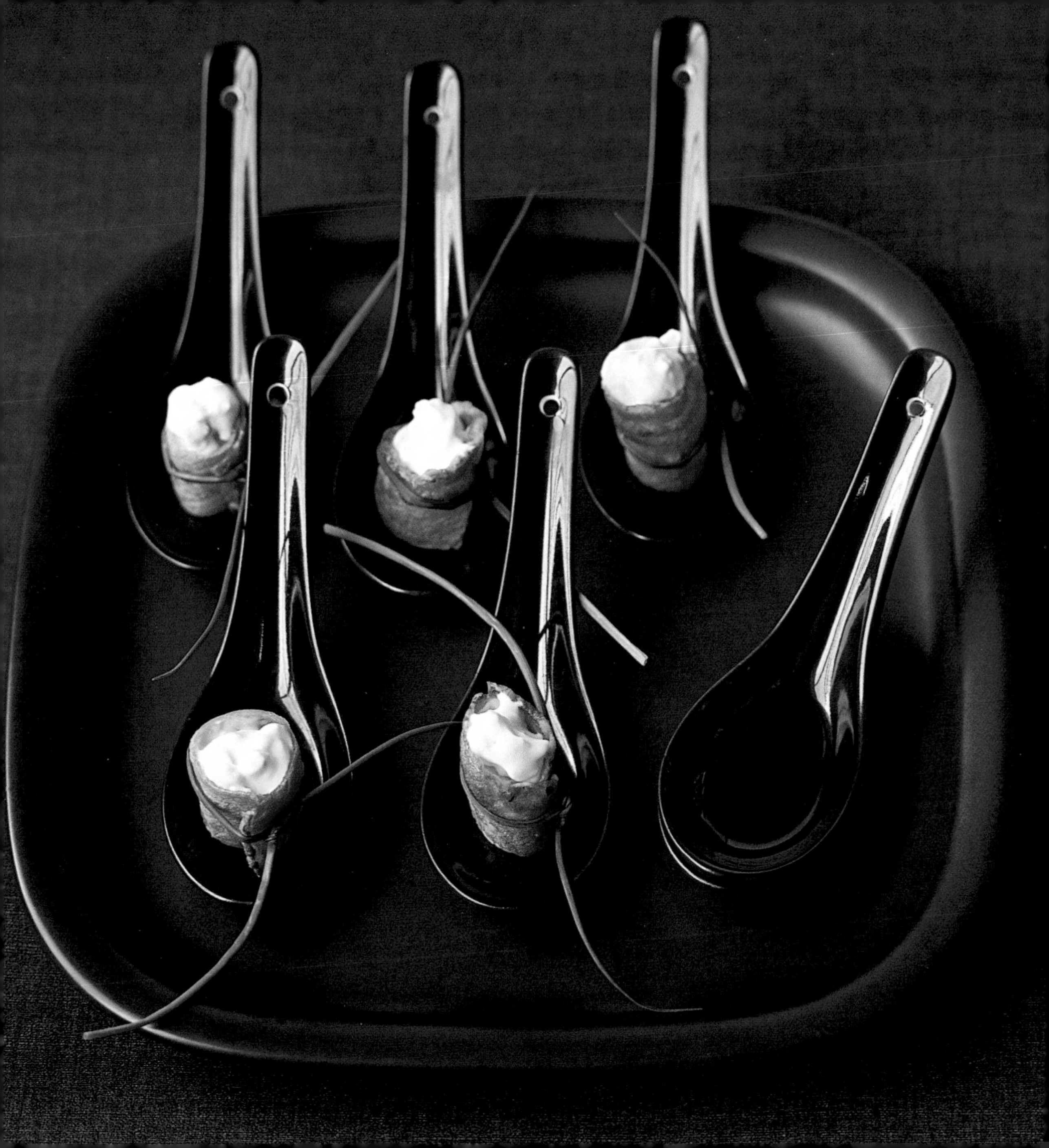

Poissons marinés à la tahitienne

50 G DE FILET DE SAUMON
50 G DE FILET DE CABILLAUD
50 G DE FILET DE HADDOCK
3 CITRONS VERTS
15 CL DE LAIT DE COCO
2 C. À SOUPE D'HUILE D'OLIVE
SEL
POIVRE

Dans un bol, presser le jus de 2 citrons. Ajouter l'huile d'olive, le sel, le poivre et mélanger.

À l'aide d'un épluche-légumes, prélever le zeste du troisième citron en très fines lanières qui serviront pour la décoration. Terminer d'éplucher les quartiers de citron à vif et les couper en morceaux. Réserver au frais.

Tailler les poissons en fines tranches, comme pour un carpaccio, les disposer dans un plat à rebord, bien à plat, et verser délicatement la marinade au citron.

Disposer une tranche de chaque poisson dans chaque cuillère en prenant soin d'égoutter un peu la marinade. Arroser d'un peu de lait de coco et décorer avec le citron et les zestes.

Servir rapidement.

POUR 6 À 8 CUILLÈRES
15 MINUTES DE PRÉPARATION • 10 MINUTES DE RÉFRIGÉRATION

Nouilles chinoises aux poissons crus

- 50 G DE NOUILLES CHINOISES
- 2 C. À SOUPE D'HUILE D'OLIVE
- 2 C. À SOUPE DE SAUCE SOJA
- 60 G DE FILET DE SAUMON
- 40 G DE FILET DE POISSON BLANC (OU DE THON ROUGE)
- 1 CITRON
- 10 CL D'HUILE D'OLIVE
- SEL
- POIVRE

Faire cuire les nouilles dans une eau frémissante et salée pendant 2 minutes. Égoutter et rincer à l'eau froide, puis, dans un petit saladier, les mélanger avec la sauce de soja et 2 c. à soupe l'huile d'olive. Réserver au réfrigérateur.

Tailler le poisson en fines tranches, le placer dans un plat à rebord et réserver au réfrigérateur.

Juste avant de servir, presser le citron et verser le jus sur le poisson. Arroser d'un filet d'huile d'olive, saler et poivrer.

Garnir les cuillères de petits nids de nouilles au soja et ajouter les fines tranches de poissons.

Conseil :
Décorer de graines de sésame grillées.

POUR 4 À 6 CUILLÈRES
15 MINUTES DE PRÉPARATION • 5 MINUTES DE CUISSON
20 MINUTES DE RÉFRIGÉRATION

Escabèche de moules aux épices douces

- 1 L DE MOULES
- 15 CL DE VIN BLANC
- 2 ÉCHALOTES
- 1 CAROTTE
- 1 OIGNON FRAIS AVEC SA TIGE
- 2 TOMATES
- 1 PIMENT
- 3 C. À SOUPE DE VINAIGRE DE XÉRÈS
- 1 C. À SOUPE D'HUILE D'OLIVE
- 1 POINTE DE CUMIN
- 1 POINTE DE CURRY
- 1 POINTE DE SAFRAN
- POIVRE

Dans un faitout, faire cuire les moules soigneusement nettoyées avec le vin blanc, les échalotes ciselées et le piment, comme pour une marinière, à feu vif à couvert, jusqu'à ce qu'elles soient complètement ouvertes.

Réserver les moules dans un saladier et laisser refroidir.

Passer le jus de cuisson à la passoire fine dans une autre casserole. Tailler la carotte en petits dés. Épépiner les tomates et les couper elles aussi en petits dés. Émincer finement l'oignon frais ainsi que sa tige.

Ajouter 10 cl d'eau au jus de cuisson des moules et y faire cuire les carottes à feu moyen 3 à 4 minutes, puis ajouter l'oignon, les tomates, le vinaigre et les épices. Poursuivre la cuisson à feu doux en remuant jusqu'à évaporation du liquide. Laisser refroidir.

Décoquiller les moules et les mélanger délicatement aux petits légumes. Ajouter l'huile d'olive.

Garnir les cuillères et servir bien froid.

POUR 6 À 8 CUILLÈRES
20 MINUTES DE PRÉPARATION • 15 MINUTES DE CUISSON
25 MINUTES DE RÉFRIGÉRATION

Rougaille de tomates à l'orange et aux anchois frais

12 À 16 FILETS D'ANCHOIS FRAIS MARINÉS À L'HUILE
1 PETITE BOÎTE DE TOMATES PELÉES
1 ORANGE
50 G DE SUCRE SEMOULE
10 G DE GINGEMBRE
1 OIGNON ROUGE
1 PIMENT OISEAU
SEL
POIVRE

À l'aide d'un épluche-légumes, prélever le zeste de l' oranges et l' émincer finement dans le sens de la largeur (en réserver quelques morceaux pour le décor).

Éplucher et râper ou hacher le gingembre, ciseler grossièrement l'oignon rouge et le piment.

Dans une casserole, faites revenir à feu doux le tout avec le sucre. Pendant ce temps, égoutter les tomates et les concasser grossièrement avant de les ajouter au mélange.

Faire compoter, toujours à feu doux, une dizaine de minutes en remuant sans cesse, puis laisser refroidir au frais.

Juste avant de servir, garnir les cuillères de rougaille et disposer les anchois frais dessus. Décorer d'un zeste d'orange.

POUR 6 À 8 CUILLÈRES
8 MINUTES DE PRÉPARATION • 10 MINUTES DE CUISSON
40 MINUTES DE RÉFRIGÉRATION

Rillettes de sardines à la coriandre

1 BOÎTE DE FILETS DE SARDINES À L'HUILE

75 G DE BEURRE

1/2 CITRON

1/2 BOTTE DE CORIANDRE

1 C. À SOUPE DE FROMAGE BLANC

SEL

POIVRE

TABASCO

Passer le beurre très brièvement au four à micro-ondes pour le ramollir.

Égoutter les sardines, les disposer dans un saladier, ajouter le jus de citron et écraser le tout à l'aide d'une fourchette. À l'aide d'une spatule, incorporer le beurre puis le fromage blanc, la coriandre hachée (garder quelques feuilles pour la décoration). Saler, poivrer et ajouter 4 gouttes de Tabasco.

Réserver au réfrigérateur 15 à 20 minutes.

Garnir les cuillères de rillettes et décorer, selon votre inspiration, d'un zeste de citron ou d'une feuille de coriandre.

POUR 6 À 8 CUILLÈRES
10 MINUTES DE PRÉPARATION • 15 À 20 MINUTES DE RÉFRIGÉRATION

Joues de lotte au confit d'agrumes

6 À 8 JOUES DE LOTTE
5 CL DE VIN BLANC
2 C. À SOUPE D'HUILE D'OLIVE
3 ORANGES
1 CITRON VERT
1 PAMPLEMOUSSE
60 G DE SUCRE SEMOULE
SEL
POIVRE

Peler à vif les agrumes et couper les quartiers en fines tranches en prenant soin d'écarter les pépins et en récupérant le jus et la chair dans une petite casserole.

Ajouter le sucre et faire cuire à feu doux jusqu'à évaporation du liquide, comme pour une marmelade. Réserver et laisser refroidir.

Couper les joues de lotte selon la taille de vos cuillères, les assaisonner de sel et de poivre puis les poêler dans l'huile d'olive à feu moyen 1 minute sur chaque face.

Ajouter le vin blanc et le laisser réduire complètement.

Garnir les cuillères d'un peu de confit d'agrumes, puis poser sur chacune d'elle une joue de lotte légèrement refroidie.

Décorer avec des herbes fraîches, du poivre du moulin ou saupoudrer d'une pointe d'épice à votre goût.

POUR 6 À 8 CUILLÈRES
10 MINUTES DE PRÉPARATION • 10 MINUTES DE CUISSON
10 MINUTES DE RÉFRIGÉRATION

Mini-boudins blancs aux pommes et au lard

4 MINI-BOUDINS BLANCS

1 POMME REINETTE

4 FINES TRANCHES DE POITRINE FUMÉE

10 G DE BEURRE DEMI-SEL

2 C. À SOUPE D'HUILE DE TOURNESOL

Éplucher et évider la pomme. La couper en huit quartiers et les disposer sur une assiette bien à plat, puis recouvrir de film alimentaire étirable et faire cuire au four à micro-ondes 1 à 2 minutes.

Dans une poêle, chauffer le beurre et l'huile à feu moyen et faire revenir les boudins doucement afin d'obtenir une belle coloration dorée.

Déposer un quartier de pomme dans chaque cuillère.

Couper les boudins en deux dans le sens de la longueur, et disposer une moitié sur la pomme. Pour finir, envelopper chaque cuillère avec 1/2 tranche de poitrine fumée.

Vous pouvez déguster ces cuillères froides ou tièdes, à votre convenance.

POUR 8 CUILLÈRES
10 MINUTES DE PRÉPARATION • 7 MINUTES DE CUISSON

Cannelons de courgettes à la crème au crabe

1 COURGETTE
10 CL DE CRÈME LIQUIDE
50 G DE CHAIR DE CRABE
1 C. À SOUPE D'HUILE D'OLIVE
1/2 CITRON
1/2 BOTTE DE CIBOULETTE
SEL
POIVRE
PAPRIKA

Laver la courgette, puis à l'aide d'un épluche-légumes ou d'une mandoline, prélever de longues lanières fines.

Les plonger dans une eau bouillante salée à peine 1 minute pour les attendrir, puis les rafraîchir et les conserver sur un papier absorbant.

Presser la chair de crabe dans les mains de manière à retirer tout l'excédent d'eau, l'émietter dans un saladier, ajouter le jus de citron, l'huile d'olive, la ciboulette ciselée. Saler et poivre.

Dans un autre saladier bien froid, monter au fouet la crème liquide comme une chantilly. Une fois la crème bien ferme, incorporer délicatement la chair de crabe à la spatule.

Rectifier l'assaisonnement si nécessaire.

Enrouler les lanières de courgettes sur elles-mêmes de manière à réaliser des petits cannelons, les garnir de crème au crabe et les disposer dans les cuillères.

Décorer à votre goût en ajoutant un brin de ciboulette ou une pincée de paprika.

POUR 4 À 6 CUILLÈRES
15 MINUTES DE PRÉPARATION (FAIRE DÉCONGELER LA CHAIR DE CRABE LA VEILLE) • 2 MINUTES DE CUISSON

Chili con carne

- 1 petite boîte de haricots rouges
- 60 g de filet de bœuf
- 1 petite boîte de tomates pelées
- 1 oignon
- 1 gousse d'ail
- 2 c. à soupe d'huile d'olive
- 1 c. à soupe d'huile d'arachide
- 1 c. à café de sucre en poudre
- 1/2 c. à café de piment en poudre
- Poivre du moulin
- Sel

Conseil :
Ce Chili con carne sera tout aussi savoureux froid.

Éplucher et ciseler l'oignon, hacher l'ail et les faire revenir légèrement dans une casserole avec l'huile d'olive, le sucre, le sel, le poivre et le piment. Ajouter les tomates pelées préalablement égouttées et grossièrement concassées. Laisser cuire à feu doux en remuant de temps en temps pendant une douzaine de minutes, puis ajouter les haricots égouttés. Mélanger et laisser reposer hors du feu.

Tailler le bœuf en petits dés et réserver.

Juste avant de servir, réchauffer les haricots et faire saisir la viande à feu vif dans une poêle, avec l'huile d'arachide. Saler et poivrer.

Garnir les cuillères de haricots et parsemer avec les dés de bœuf. Servir aussitôt.

Pour 6 à 8 cuillères
15 minutes de préparation • 15 minutes de cuisson

Kits salés pour gourmands pressés

TOMATE, MOZZA, BASILIC

Simplissime, fraîche
et indémodable, vous n'en
ferez qu'une bouchée !

AVOCAT ET SAUMON FUMÉ

De l'avocat émincé en duo
avec du saumon très finement
tranché : une cuillère très raffinée.

CAROTTES À LA MAROCAINE

Quelques rondelles de carottes
cuites à l'eau, de la coriandre
fraîche, de l'huile d'olive,
du cumin en poudre et l'apéritif
se fait nomade…

CHÈVRE FRAIS, TOMATE SÉCHÉE
ET JAMBON CRU

Un rayon de soleil, un verre
de rosé bien frais… avec ce roulé
de chèvre, les saveurs du Sud
s'invitent dans vos cuillères.

POIREAU ET ŒUF DE CAILLE,
MAYO

Rien de plus simple que de cuire
un blanc de poireau et un œuf
de caille (dur en 2 minutes),
une petite mayo et voilà.
Une recette délicieusement
classique revisitée…

CARPACCIO DE BŒUF
AU PARMESAN

Pas évident de faire des carpaccios
à la maison surtout pour plusieurs
personnes mais dans les cuillères,
plus d'excuses ! Le principe ?
Des tranches fiiiiiines…
Alors poissons, viandes
et légumes… improvisez,
tout est permis !

POIVRONS MARINÉS

Tout le monde connaît
les poivrons grillés au four,
épluchés puis marinés dans
de l'huile d'olive
et des aromates…
Dans des cuillères, ils donneront
à votre buffet des couleurs d'été…

TOMATE AU THON

Chez moi, on l'appelle aussi
« l'antiboise »…
Dans une cuillère : un quartier
de tomate épépiné, des miettes
de thon et de la mayo… Le tour
est joué !

ŒUFS DE POISSONS
ET CREVETTE PAPILLON

Une crevette fendue sur
le dos, la queue en l'air,
et l'alternance des couleurs
des œufs de lump et de saumon
pour un apéritif vraiment très
chic.

Cuillères " for my darling"

- 250 G DE CHOCOLAT NOIR
- 5 CL DE LAIT ENTIER
- 15 CL DE CRÈME LIQUIDE
- 70 G DE BEURRE
- 8 À 12 CERISES À L'EAU DE VIE
- 1 C. À SOUPE DE CACAO EN POUDRE

Commencer par préparer la ganache chocolat. Casser le chocolat en petits morceaux dans un petit saladier.

Dans une casserole, faire chauffer à feu moyen le lait et la crème liquide, puis verser sur le chocolat. Ajouter le beurre en petits morceaux et mélanger doucement avec un fouet. La ganache est enfin prête lorsqu'il n'y a plus de morceaux (ajouter 1 c. à soupe d'alcool des cerises si vous le souhaitez).

Réserver au réfrigérateur 1 heure au minimum.

Aligner les cuillères sur le plateau de service puis travailler la ganache à l'aide d'une spatule pour la rendre plus onctueuse (mais pas trop !). Remplir de ganache une poche à pâtisserie munie d'une petite douille, garnir les cuillères d'un nid de chocolat onctueux et y inviter pour finir les cerises.

Saupoudrer de cacao en poudre, servir les cuillères aussitôt ou les garder au réfrigérateur jusqu'à ce qu'elles soient servies.

POUR 8 À 12 CUILLÈRES
15 MINUTES PRÉPARATION • 5 MINUTES DE CUISSON
1 HEURE DE RÉFRIGÉRATION

Café très gourmand

- 80 G DE CHOCOLAT BLANC
- 80 G DE CHOCOLAT NOIR
- 80 G DE CHOCOLAT AU LAIT
- HUILE DE TOURNESOL
- NOIX DÉCORTIQUÉES
- AMANDES ENTIÈRES AVEC LEUR PEAU
- PISTACHES DÉCORTIQUÉES NON SALÉES
- ET DU BON CAFÉ…

Non ! Ce n'est pas vraiment une recette, mais plutôt un accessible tour de main pour une jolie façon de présenter votre café, en particulier pour celui qui « ne prend pas de dessert ! ». Et je compte sur vous pour… Le bon café !

Casser les chocolats en morceaux, chacun dans un bol distinct. Verser un filet d'huile dans chaque bol et faire fondre au four à micro-ondes (l'huile aidera à faire fondre le chocolat plus facilement et lui donnera du brillant, bien mieux que de l'eau, qui est pour moi l'ennemi du chocolat !)

Répartir vos cuillères devant chaque bol (1 café = 3 cuillères = 3 chocolats). Les tremper dans le chocolat chacune à leur tour, à chacune leur chocolat… (laisser couler l'excédent de chocolat dans le bol) avant de les disposer soigneusement sur un petit plat recouvert de film alimentaire étirable.

Une fois les cuillères bien alignées, déposer à votre guise les fruits secs sur chacune d'elles et, sans attendre, mettre au réfrigérateur.

POUR 9 À 15 CUILLÈRES
10 MINUTES DE PRÉPARATION • 3 MINUTES DE CUISSON
20 MINUTES DE PRÉPARATION

Bonbons tout chocolat

100 G DE CHOCOLAT NOIR

10 CL DE CRÈME LIQUIDE

50 G DE BEURRE

3 GOUTTES D'EXTRAIT DE CAFÉ

30 G D'ÉCLATS DE FÈVES DE CACAO (EN ÉPICERIE FINE) OU D'AMANDES HACHÉES

40 G DE CHOCOLAT BLANC

2 C. À SOUPE DE CACAO

SAUCE AU CHOCOLAT (SI LE CŒUR VOUS EN DIT...)

Astuce :
Crème anglaise ou coulis de fruits pourront remplacer la sauce au chocolat, personnaliser vos cuillères et ainsi créer sur votre table, à partir de la même recette, des cuillères pour tous les goûts.

Casser le chocolat noir en petits morceaux dans un petit saladier. Dans une petite casserole, faire chauffer la crème liquide à feu moyen jusqu'à frémissements, puis verser sur le chocolat. Ajouter le beurre en petits morceaux et mélanger doucement avec un fouet.

Ajouter l'extrait de café et, lorsque le mélange est bien lisse, incorporer les éclats de fèves de cacao ou les amandes.

Répartir la ganache dans des bacs à glaçons et les placer au congélateur (pas trop longtemps, juste le temps qu'il durcissent).

Pour réaliser les bonbons, démouler les « glaçons » de chocolat et les façonner dans vos mains en petites boules. Les rouler dans le cacao en poudre et enfin les disposer dans les cuillères. (Moi, je mets un peu de sauce chocolat avant dans la cuillère... On a dit « tout chocolat ! » non ?)

Décorer chaque bonbon avec du chocolat blanc fondu ou laisser parler votre inspiration pour faire de ce bonbon votre création !

POUR 6 À 8 CUILLÈRES
10 MINUTES DE PRÉPARATION • 3 MINUTES DE CUISSON
15 MINUTES DE RÉFRIGÉRATION

Cuillère choco-menthe

20 G DE SUCRE SEMOULE
25 CL DE CRÈME LIQUIDE
2 JAUNES D'ŒUFS
90 G DE CHOCOLAT NOIR
SIROP DE MENTHE
MENTHE FRAÎCHE (DÉCO)

Mettre le sucre semoule, 1 c. à soupe de sirop de menthe et 5 cl de crème liquide dans une casserole à feu doux.

Casser le chocolat en petits morceaux dans un saladier et une fois la crème de menthe bien chaude, la verser sur le chocolat. Mélanger au fouet pour faire bien fondre le chocolat. Ajouter les jaunes d'œufs et mélanger à nouveau. Réserver.

Monter au fouet ou au batteur le reste de crème liquide (20 cl) en chantilly, puis l'incorporer délicatement à la ganache à l'aide d'une spatule.

Mettre la mousse choco-menthe au réfrigérateur 30 minutes pour qu'elle raffermisse.

Dresser les cuillères sur un plat pouvant aller au réfrigérateur, puis remplir de mousse une poche à pâtisserie munie d'une douille pour les garnir en prenant soin de ne pas trop les remplir.

Au moment de servir, verser 2 gouttes de sirop de menthe, ajouter des copeaux de chocolat ou encore une feuille de menthe fraîche. Remettre les cuillères au réfrigérateur 30 minutes ou au congélateur (pas trop longtemps !) de manière à les servir bien fraîches..

POUR 6 À 8 CUILLÈRES
15 À 20 MINUTES DE PRÉPARATION • 3 MINUTES DE CUISSON
2 X 30 MINUTES DE RÉFRIGÉRATION

Ganache choco-framboises

100 G DE PURÉE DE FRAMBOISES
75 G DE CHOCOLAT AU LAIT
60 G DE CHOCOLAT NOIR
30 G DE BEURRE
1 PETITE BARQUETTE DE FRAMBOISES

Casser tout le chocolat en petits morceaux dans un saladier, et ajouter le beurre, également en petits morceaux.

Mettre la purée de framboises sur feu doux et la mélanger sans arrêt pendant 2 minutes pour la réchauffer uniformément et rapidement, mais, attention, sans la cuire. La verser sur le chocolat et le beurre et mélanger à l'aide d'un petit fouet afin d'obtenir une ganache. Réserver 30 minutes au réfrigérateur pour qu'elle raffermisse.

À l'aide d'une poche à pâtisserie munie d'une douille, répartir soigneusement la ganache dans les cuillères, y déposer une framboise et servir.

POUR 6 À 8 CUILLÈRES
10 MINUTES DE PRÉPARATION • 2 MINUTES DE CUISSON
30 MINUTES DE RÉFRIGÉRATION

Crème de mascarpone et marrons craquants

125 G DE MASCARPONE

50 G DE CHOCOLAT NOIR

1 JAUNE D'ŒUF

25 G DE SUCRE SEMOULE

15 MARRONS ENTIERS AU NATUREL EN BOÎTE OU EN BOCAL

3 GOUTTES D'EXTRAIT DE VANILLE

HUILE D'ARACHIDE

Astuce :
Vous pouvez diminuer la quantité d'extrait de vanille et ajouter un trait de Grand-Marnier ! Miam !

Casser le chocolat en petits morceaux dans un bol et faire fondre 2 minutes au four à micro-ondes avec 1 c. à café d'huile d'arachide.

Plonger 8 des marrons dans le chocolat fondu à l'aide d'une fourchette. Les disposer soigneusement sur une assiette recouverte de film alimentaire et réserver au réfrigérateur.

Pour réaliser la crème de mascarpone, mettre le jaune d'œuf et le sucre dans un saladier et fouetter jusqu'à ce que le mélange blanchisse, puis ajouter le mascarpone, l'extrait de vanille et le reste des marrons en les cassant dans vos doigts. Mélanger à nouveau plus délicatement.

Répartir la crème dans chaque cuillère, puis déposer un marron craquant, et voilà !

POUR 8 CUILLÈRES
20 MINUTES DE PRÉPARATION • 2 MINUTES DE CUISSON
15 MINUTES DE RÉFRIGÉRATION

Poire Belle-Hélène

1 POIRE
100 G DE SUCRE SEMOULE
QUELQUES AMANDES

POUR LA SAUCE AU CHOCOLAT
15 CL DE CRÈME LIQUIDE
65 G DE CACAO EN POUDRE
110 G DE SUCRE SEMOULE

POUR LA CRÈME CHANTILLY
15 CL DE CRÈME LIQUIDE
3 GOUTTES D'EXTRAIT DE VANILLE
30 G DE SUCRE GLACE

Habituellement servies en coupe et souvent glacées, ces « Belle-Hélène » archiconnues seront rajeunies dans vos cuillères...

Éplucher la poire en prenant soin de garder la queue. Enlever le cœur et les pépins par la base à l'aide d'un épluche-légumes.

Dans une casserole, faire chauffer à feu moyen le sucre et 35 cl d'eau pour réaliser un sirop.

Y faire pocher la poire (plus ou moins selon sa maturité, elle doit rester légèrement ferme). Égoutter la poire et la laisser refroidir.

Mettre la crème liquide dans un saladier et le placer au réfrigérateur environ 15 minutes (bien froide la crème montera plus facilement en chantilly).

Pendant ce temps réaliser la sauce chocolat. Verser 15 cl d'eau et le sucre dans une petite casserole, porter à ébullition puis ajouter le cacao et mélanger au fouet pour dissoudre le tout hors du feu.Ajouter la crème liquide légèrement réchauffée séparément et mélanger.

Couper la poire en quartiers plus ou moins épais selon la taille de vos cuillères et les disposer sur un papier absorbant.

Fouetter la crème en chantilly, ajouter le sucre glace et la vanille.

Pour dresser les cuillères « Belle-Hélène », y disposer un quartier de poire, un peu de chantilly avec une poche à pâtisserie, un trait de sauce chocolat, quelques amandes brisées... Elles ne demandent plus qu'à être savourées.

POUR 6 À 8 CUILLÈRES
20 MINUTES DE PRÉPARATION • 10 MINUTES DE CUISSON
15 MINUTES DE RÉFRIGÉRATION

Meringue italienne citron-framboise

2 blancs d'œufs
110 g de sucre semoule
1 citron
6 à 8 framboises

La confection de la meringue italienne nécessite un robot ménager.

Casser les blancs d'œufs dans la cuve du robot et fouetter doucement.

Pendant ce temps, mettre le sucre dans une petite casserole avec un peu d'eau (juste de quoi le dissoudre). Faire cuire à feu moyen, comme un caramel, mais en surveillant la cuisson (120 °C) de très près et en la stoppant avant toute coloration.

Quand le sucre est pratiquement à température, battre plus vivement les blancs d'œufs en neige, verser le sucre cuit dans la cuve et laisser tourner le batteur plus doucement.

Râper le zeste du citron et l'incorporer à la meringue.

Arrêter le batteur quand la meringue a refroidi.

Garnir les cuillères avec une poche à pâtisserie munie d'une douille ou former de petites quenelles avec 2 cuillères. Poser dessus une framboise et un zeste de citron pour décorer.

Pour 6 à 8 cuillères
15 minutes de préparation • 8 à 10 minutes de cuisson

Guimauves craquantes au caramel

6 À 8 GUIMAUVES (CHAMALLOW)
70 G DE SUCRE

Dans une petite casserole, faire cuire le sucre avec un peu d'eau à feu moyen afin de réaliser le caramel.

Pendant ce temps disposer les guimauves sur une petite plaque à pâtisserie et, une fois le caramel bien doré, nappez chaque guimauve de caramel avec une petite cuillère.

Après quelques secondes, quand le caramel a durci, disposer les guimauves dans les cuillères.

Simplissime et rapide, cette mini-recette fera de vos cuillères des bonbecs « chic » !

POUR 6 À 8 CUILLÈRES
8 MINUTES DE PRÉPARATION • 10 MINUTES DE CUISSON

Cottage cheese aux griottes amarena

1 PETIT POT DE COTTAGE CHEESE

UNE VINGTAINE
DE CERISES/GRIOTTES AMARENA

Ces cuillères auraient pu trouver leur place dans la page des « kits », mais des produits moins courants, associés facilement et rapidement mais d'une finesse magique, méritaient qu'on leur consacre leur propre recette… pour un succès garanti !

Égoutter une douzaine de cerises et en garder le sirop.
Les hacher grossièrement et, dans un petit saladier, les incorporer au cottage cheese, ajouter un peu de sirop et mélanger délicatement.
Le sirop va naturellement sucrer, à votre convenance, le fromage frais.

Voilà, je vous l'avais dit, c'est déjà fini ou presque : il ne reste plus qu'à dresser les cuillères et à déposer une cerise sur chacune d'elles.

POUR 6 À 8 CUILLÈRES
5 MINUTES DE PRÉPARATION

Blanc-manger à la crème de pistaches

40 g de sucre semoule
10 cl de lait
1 feuille de gélatine
40 g de pistaches émondées
60 g d'amandes émondées
6 cl de crème liquide

Mettre la feuille de gélatine à tremper dans de l'eau froide pour la ramollir.

Réduire les amandes en poudre dans un mixeur, ajouter 5 cl d'eau et mixer à nouveau.

Faire chauffer le lait et 30 g sucre dans une casserole, à feu moyen, puis ajouter les amandes et porter à ébullition. Retirer du feu et filtrer le lait à travers une passoire fine dans une autre casserole en pressant bien les amandes. Faire chauffer à nouveau 1 à 2 minutes puis, hors du feu, ajouter la gélatine égouttée. Mélanger, verser la préparation dans un petit saladier et réserver au réfrigérateur 1 heure.

Réduire en poudre les pistaches au mixeur. Verser la crème liquide dans une casserole, ajouter la poudre de pistaches, les 10 g de sucre restant et faire cuire à feu moyen 1 à 2 minutes avant de filtrer la crème. Laisser refroidir.

Sortir le blanc-manger du réfrigérateur et réaliser des petites quenelles ou cuillerées qui, déposées dans les cuillères, n'attendront plus que d'être nappées de crème de pistaches et décorées de quelques pistaches ou amandes.

Pour 6 à 8 cuillères
20 minutes de préparation • 10 minutes de cuisson
1 heure de réfrigération

Crème à l'orange et pépites de chocolat

- 1 ŒUF ENTIER + 3 JAUNES D'ŒUFS
- 40 G DE SUCRE SEMOULE
- 60 G DE CHOCOLAT BLANC
- 50 G DE CHOCOLAT NOIR
- 8 CL DE JUS D'ORANGE CONCENTRÉ
- 50 G DE BEURRE
- 30 G DE VERMICELLES DE CHOCOLAT

Faire chauffer le jus d'orange à feu doux.

Dans un saladier, battre les œufs avec le sucre, puis ajouter le jus d'orange bien chaud. Remettre le mélange à feu doux et faire cuire jusqu'à épaississement en remuant sans cesse. Hors du feu, incorporer le beurre et le chocolat blanc en morceaux. Mélanger et réserver au réfrigérateur 30 minutes au minimum.

Quand la crème est bien froide, incorporer les vermicelles de chocolat avant de garnir les cuillères.

Remettre au frais ou servir aussitôt sans oublier de parsemer de chocolat noir concassé avec un rouleau à pâtisserie.

POUR 6 À 8 CUILLÈRES
15 MINUTES DE PRÉPARATION • 8 MINUTES DE CUISSON
30 MINUTES DE RÉFRIGÉRATION

Roses des sables

120 G DE CORN FLAKES
80 G DE CHOCOLAT NOIR
90 G DE CHOCOLAT AU LAIT
100 G DE CHOCOLAT BLANC
3 C. À SOUPE D'HUILE

Faire fondre les chocolats au four à micro-ondes (puissance minimum), chacun dans un bol, avec 1 c. à soupe d'huile.

Verser les corn flakes dans un saladier, ajouter tout le chocolat et mélanger délicatement.

Garnir les cuillères de petites « roses » et mettre au frais une dizaine de minutes avant de servir.

POUR 6 À 8 CUILLÈRES
10 MINUTES DE PRÉPARATION • 5 MINUTES DE CUISSON
10 MINUTES DE RÉFRIGÉRATION

Kits sucrés pour gourmands pressés

Banane, Nutella et corn flakes

Fruitée, chocolatée et croustillante… Régressif me direz-vous ? Tant pis !

Pruneaux à l'armagnac et à l'orange

Attention, cuillère pour les grands ! Pruneaux marinés, infusés ou juste arrosés d'armagnac et orange fraîche ou confite… Ces cuillères feront un digestif élégamment détourné !

Tutti frutti

Des fruits de saison découpés en tout petits dés, liés avec un peu de confiture, et vos cuillères n'attendent plus qu'à être joliment garnies.

Compote de fruits craquante au chocolat

Compote de fruits + congélateur + chocolat fondu = jolies cuillères givrées qui ne demandent qu'à être croquées !

Fruits rouges presque en confiture, chantilly

Des fruits rouges frais ou même surgelés liés avec un peu de confiture de fruits rouges et de coulis, une pointe de chantilly et le tour est joué!

Fruits du mendiant « à tartiner »

Ces cuillères aux abricots, figues et pruneaux séchés, hachés, natures ou épicés se laisseront déguster telles quelles mais accompagneront délicieusement votre foie gras ou certains fromages comme la tome de brebis…

Fraises au lait concentré

Quelques morceaux de fraises et du lait concentré sucré… Simple, facile and… So sweet !

Pannetone comme un baba

Un cube de pannetone en guise de baba « chic » trempé dans du rhum… Je le faisais quand j'étais petit… Mais avec du jus de fruits bien sûr !

Crumble de fruits au pollen

Une compote de fruits avec des morceaux, quelques graines de pollen (que l'on trouvera dans le même rayon que le miel) pour le croustillant, et votre cuillère-crumble sera soumise à toutes les convoitises.

AGAPÉ – 91 av JB Clément 92100 Boulogne
(01 47 12 04 88)
Cadre : p. 49

ASA – www.asa-selection.com
Cuillères : toutes les cuillères photographiées dans le livre ont été prêtées par Asa.
Plat : p. 11, p. 21, p. 37, p. 45

AU FIL DES COULEURS – 31, rue de l'Abbé Grégoire 75006 Paris
(01 45 44 74 00)
Papier peint : p. 15, p. 19, page 25, p. 29, p. 31, p. 37, p. 41, p. 61

BON MARCHÉ – 24 rue de Sèvres 75007 Paris
(01 44 39 80 00)
Linge de table : p. 13, p. 45, plateau : p. 17, vaisselle : p. 17, p. 29 p. 33, p. 59

FARROW AND BALL – 50 rue de l'Université 75007 Paris
(01 45 44 47 94)
Papier peint : p. 7, p. 43, p. 55, fond peint off black n°57 : p. 17, p. 21, p. 27, p. 49, fond peint tallow n° 203 : p. 33, p. 51

LA BALLADE – 6 rue d'Aguesseau 92100 Boulogne
(01 46 84 68 50)
Pouffe : p. 23, table : p. 25, p. 37, p. 4

MOC – www.demoniak.com@moc
Table : p. 21, p. 27, p. 31, p. 55

POTIRON – 57 rue des Petits Champs 75001 Paris
(01 40 15 64 66)
Vase : p. 7, boîte : p. 37

SENTOU – 26 bd Raspail 75007 Paris
(01 45 49 00 05)
Table : p. 7, p. 9, p. 17, p. 29, p. 47, p. 55, vaisselle : p. 15, p. 27, p. 39, p. 47, p. 49

THE CONRAN SHOP – 117 rue du Bac 75007 Paris
(01 42 84 10 01)
Tapis : p. 9, vaisselle : p. 11, p. 21, p. 23, p. 27, p. 31, p. 33, p. 41, p. 53, plateau : p. 25, p. 43

107 RIVOLI – 107 rue de Rivoli 75001 Paris
(01 42 60 01 88)
Vaisselle : p. 9, p. 19, p. 25, p. 29, plateau : p.13, p.31, p .51, p. 57

Remerciements

Je remercie Christophe Lebegue, mon associé, Benojan Thimothy et Alexandre Turpin mes complices de cuisine, Camille Fourmont pour ses conseils astucieux et biensur toute l'équipe du Café Noir.

Un grand merci, aussi, à Delphine de Montalier et à toute l'équipe de Marabout.

DÉPÔT LÉGAL : Novembre 2007
ISBN : 978-2-501-05417-1
Codification : 40.4206.5 / 04
Imprimé en Espagne par Graficas Estella